PRAISE FOR
Mediterranean / Mediterrâneo

"I love the deep attentiveness to the world in these poems. But even more so: I love how this attentiveness is handed to us with language that is graceful rather than heavy or full of pronouncements; there is play and there is much reality, and all of it is filled with metaphysics but not weighted down by it. It is like classical music, in this effect. And, I love that. I know I will be looking to read new translations of these writings anywhere I can find them. Truly."
—**Ilya Kaminsky**, author of *Deaf Republic*

"What takes a Mediterranean poet on a meditative journey across the Mediterranean, from Bridal Veil in Porto Moniz, to the Wall of Solomon, to ruins of a Roman palace in Split, to a flower market in Provence . . . ? It reminds us of a familiar expression: 'If you lose your way, go back to where you started!' This is exactly what I think makes João Luís Barreto Guimarães's adventure unique: he reflects the modern consciousness onto the face of our history of civilization 'where time itself is holding its breath.' The poetry in *Mediterranean* reflects about what we have lost and are losing every day, mastering questions and revelations that, articulated in the right place and the right moment, with such a poetic finesse as here, stays with us much longer after the Mediterranean scent is gone." —**Luljeta Lleshanaku**, author of *Negative Space*

"This is, above all, the aestheticization of everyday, colloquial language, and its hybridization with references to high culture, a fine and well-balanced irony, with a subtle humorous edge. The lightness and warmth of a lyrical smile that sometimes spills over into the laughter of lovers and, on other occasions, into that of an observer of a banal street event, but which never turns into a noisy and strident laugh. (. . .) Guimarães' work is also one of the proofs that Portuguese poetry is still alive and vital, and that it is not reduced to the beautiful hundred-headed hydra, now iconic, that is Pessoa." —**Marko Pogačar**, author of *Dead Letter Office*

"He is a poet of excellence. I liked everything about his poetry."
—**António Lobo Antunes**, author of *The Natural Order of Things*

"For its thematic coherence, linked to the theme of the voyage, for the originality of a universe that is not limited to description, *Mediterranean* captures, in each poem, the essential details in which European history and culture are projected. This is a book where the South appears represented in all that the Mediterranean means in our culture. Greco-Latin antiquity is transported to the present, crossed with the Judeo-Christian matrix. *Mediterranean* is a book that presents us with a poetry that reflects our cultural roots as living elements of our daily lives. The Mediterranean, the cradle of Western culture, is a frontier (intimate, not just geographical) where European poetry has always lived, where revisiting expands it. This remarkable book by João Luís Barreto Guimarães celebrates the encounter of his poetics with this world of memories, correspondences and voices, and it follows on from a work that has been imposing itself, over the years, claiming a prominent place in our contemporary poetry." —Jury minutes from the **António Ramos Rosa National Poetry Award** (José Tolentino Mendonça, Nuno Júdice, Adriana Freire Nogueira, jurors), City of Faro, Portugal, July, 26, 2017

Mediterranean / Mediterrâneo

WINNER OF THE
Willow Run Poetry Book Award

Hidden River Arts offers the Willow Run Poetry Book Award for an unpublished collection of poetry in English. The award provides $1000 and publication by Hidden River Publishing on its Hidden River Press imprint.

Hidden River Arts is an interdisciplinary arts organization dedicated to supporting and celebrating the unserved artists among us, particularly those outside the artistic and academic mainstream.

Mediterrâneo

João Luís Barreto Guimarães

Traduzido do Português (Portugal) por
Calvin Olsen

Mediterranean

João Luís Barreto Guimarães

Translated from the Portuguese (Portugal) by
Calvin Olsen

HIDDEN RIVER PRESS
Philadelphia   2023

Cover design by Mariangel Briceno Diaz
Interior design and typography by P. M. Gordon Associates

Library of Congress Control Number: 2022948091
ISBN 979-8-9854317-3-5

HIDDEN RIVER PRESS
An imprint of Hidden River Publishing
Philadelphia, Pennsylvania

Teresa e Francisca
a Lloyd Cole

Teresa and Francisca
to Lloyd Cole

Contents

IV

Acknowledgments

Special thanks is due to the following publications in which poems from *Mediterranean* appeared.

The American Journal of Poetry: "The Sword of Selim III"; "The Ecstasy of St. Teresa"; "Wandering Jews"

Anima: "Everything's Rooftop"; "Churches of Europe"

Asymptote: "Between Ethereal and Earthly"; "Meanwhile on a Roman Denarius"; "Sicily"; "The Slow Song of Allah"; "*Pentecostés en la Taberna del Obispo*"; "The Possibility of Love"

The Banyan Review: "Just Yesterday in Pocinho"; "Physics Problem"; "At Ten Past Ten"; "That Which Is Infinite"

Bellevue Literary Review: "Ballad of the Terrible Thoughts"

The Chattahoochee Review: "For the Construction of War"

Chicago Quarterly Review: "The Mud of History"

The Columbia Review: "The Cat Wants No Movement"

The Common: "The Streets Are Effulgent"

The Cortland Review: "Mediterranean Song"

The Ekphrastic Review: "The Anatomy Lesson of Professor Karl Breuing"

Ezra Translation: "Mr. Lopes and the Power"; "Contribution to an A. M. Pires Cabral Bestiary"; *"Antico Caffè Greco"*; "OK If It's Pepsi?"; "Minor Gods"

International Poetry Review: "Story of an Afternoon"; "Secondhand"

The London Magazine: "Statues Missing Chunks"

The Los Angeles Review: "Second Life"; "The Sin Sieve"; "Lines on Duration"

Modern Literature: "Archaeology of a Gesture"; "A Sailboat in Mykonos"; *"Res ipsa loquitur"*

Salamander: "The Quotidian Life of the Soul"; "The Argonauts in Oia"

Tupelo Quarterly: "On the Efficacy of the Light"; "Confession to Hippocrates of Kos"

Visions-International: "The Scheme of Things"; "One Possible Explanation"

Não sabemos ao certo até onde vai o Mediterrâneo

We do not know exactly how far the Mediterranean reaches

PREDRAG MATVEJEVITCH

I

Entre etéreo e terreno

Deus sive Natura
ESPINOSA

Na
manhã do temporal saímos a medir estragos
(repor pedras nos muros
colher gravetos do chão). A
fúria
da natureza volveu a ordem anterior
como marca de um excesso quando
no dia seguinte olhas melhor e percebes o
equívoco da
noite anterior. Da força da tempestade só sobrou
dor e silêncio (aos pés
de um pinheiro manso céu e terra derrotados:
um rato e um
pardal são a memória visível da cega
devastação) como se
um recomeço apenas fosse possível caso
entre etéreo e terreno ambos
ousassem perder. Um
deus ajusta o equilíbrio destruindo o que criou
alguém tem de morrer cedo para que
outrem possa sobreviver.

Between Ethereal and Earthly

Deus sive Natura
SPINOZA

On
the morning of the storm we went out to assess the damages
(replace rocks in walls
pluck twigs from the ground). The
fury
of nature had upended the longstanding order
like a sign of overindulgence when
you look closer the next morning and discern
the misconceptions
of last night. Only pain and silence were left
by the tempest's strength (heaven and
earth derailed at the feet of an umbrella pine:
a mouse and a
sparrow are the visible memory of the blind
devastation) as if
a starting over was only possible should
ethereal and earthly both
dare to take a loss. A
god adjusts equilibrium destroying its creation
someone has to die early so
the rest of us can outlive.

Arqueologia de um gesto

Durou um átimo o gesto (o
rasto de um sentimento) saio
à sua procura mas o gesto
já não está. A
sua dança ausente da superfície do ar
(ético ou
amoral?) só o
posso adivinhar. Como recuar ao *pathos*
se nunca habitou a memória (foi
um gesto apaixonado ou
foi um
gesto sem história?)

Archaeology of a Gesture

The gesture lasted a split second (the
trace of a feeling) I venture out
to find it but the gesture
is no longer there. Its
dance now absent from the surface of the air
(ethical or
amoral?) I can
only guess. How do you get back to *pathos*
if it never existed in memory (was it
a passionate gesture or
was it one
devoid of history?)

Ainda ontem no Pocinho

Valle do Nídeo
Douro
Reserva 2009
14% vol.

E
aqui estamos (tu e eu) nómadas
neste rio sagrado onde um primo nosso afastado
(alguns 30
mil anos) deixou picotado em pedra
num mágico altar de xisto este
casal
de cervídeos (se não em
pose ousada para o que deve um santuário
pelo menos dando a ideia de estarem ali naquilo
já desde o
Paleolítico). *Homo sapiens* apenas no
belo Museu do Côa
duas ou três invenções são desde ontem notícia
(isso de termos logrado o fogo domesticado
usarmos linguagem falada
criarmos belas artes
com signos). Longa migração para norte desde o
Quénia até aqui
podia falar um pouco desse lento despertar
mas já me adormece
o vinho.

Just Yesterday in Pocinho

Valle do Nídeo
Douro
Reserva 2009
14% vol.

And
here we are (you and I) nomads
at this sacred river where a distant cousin of ours
(some 30,000
years ago) left etched in stone
on a magic altar of shale this
couple
of cervids (if not striking a
pose too bold for a sanctuary's taste
at least giving the impression they've been holding it
since the
Paleolithic Age). Only *Homo sapiens* in the
elegant Côa museum
two or three inventions discovered practically yesterday
(that of having managed to domesticate fire
the use of a spoken language
creation of fine art
with signs). Such a long migration northward from
Kenya to end up here
there's more to say about this slow awakening
but the wine makes
me sleepy.

A vida quotidiana da alma

Museo delle Antichità Egizie
di Torino

Envolta em metros de linho numa urna
de madeira
(dentro de um sarcófago de pedra dentro
de uma tumba cerrada) uma
múmia
não torna fácil o regresso ao corpo
da alma. A vida da
alma egípcia quer outra proximidade
(morar mais perto do Nilo sem
ir e vir com
pão de trigo e centeio
para a Viagem). Não é fácil
em Turim a
vida quotidiana da alma presa a
tanto compromisso
à própria múmia do gato.

The Quotidian Life of the Soul

*Museo delle Antichità Egizie
di Torino*

Wrapped in meters of linen in an urn
of carved wood
(inside a stone sarcophagus inside
a sealed tomb) this
mummy
doesn't make it easy for the wandering soul
to find its body. The life of
an Egyptian soul prefers another proximity
(to live closer to the Nile and not
need to go to and fro
with loaves of wheat and rye
for the Voyage). It's not easy
in Turin the
quotidian life of the soul tied to
so many commitments
to the mummy of this particular cat.

O telhado de tudo

A
cúpula celeste em Rodes neste entardecer egeu
é um teatro diverso do que Hipátia
contemplou. Sorte eu não ser egípcio (ou
assírio ou
de Ur) e o sol ser somente o sol
(a lua: não mais que a lua) e não
pura geometria com que predizer marés ou
chuva
num calendário. É bom poder não saber
escolher a ignorância
deitar-me a olhar o céu (que é o telhado de tudo)
sem ler intentos divinos ou
explicações para
o humano. Divino é poder ver mas
cedo baixar o olhar
qual a papoila ferida que horas depois de es-
colhida se
rende com uma vénia ante o mistério
do Mundo.

Everything's Rooftop

The
celestial dome in Rhodes in this Aegean afternooning
is a theatre distinct from the one Hypatia
contemplated. Luckily I'm no Egyptian (or
Assyrian or
from Ur) and the sun is just the sun
(the moon: nothing more than the moon) and not
the pure geometry with which one predicts tides or
rain
on a calendar. It's good to not know
to choose ignorance
to lie down and see the sky (which is everything's rooftop)
without reading divine intents or
reasons for
what's human. Divine is to be able to see but
soon lower one's gaze
the way a wounded poppy hours after being
picked
surrenders with a bow before the mystery
of the World.

O esquema das coisas

Navegámos o dia inteiro pelo estreito
de Messina (longe de guerras antigas em que
as pedras voavam). Eu fazia
o que fazias
como ondas repetidas quebrando
maduras na praia
ensaiando imperfeições num mar que
não se desliga. Para trás ficavam os deuses
de folga em Taormina (Posídon
dando descanso a um cardume de iates
um certo Hefesto poupando a
neve no cume do Etna). E eu fazia
o que fazias
(como a cópia de uma chave no acto
de ser copiada).

The Scheme of Things

All day we navigated the Strait
of Messina (far away from ancient wars
where stones flew). I did just
what you would do
like repetitious waves breaking
full-blown on the beach
rehearsing imperfections on a sea with
no off switch. Behind us the gods stayed
at ease in Taormina (Poseidon
granting rest to a school of yachts
a certain Hephaestus hoarding the
snow at Etna's ridge). And I did
just what you'd do
(like the copy of a key in the act
of being replicated).

Uma explicação possível

Foi
com certeza um perfume. Um desses
mais decotados
(generosos
triunfais) o que atrasou Odisseu de
regresso a Ítaca. Desses perfumes simétricos
(orgulhosos
resolvidos) que obrigam o olhar a
voltar-se
para cheirar. Só pode ter sido isso (foi
de certeza um perfume)
um perfume como aquele deixava fazer
quase tudo.

One Possible Explanation

It was
definitely perfume. One of those
more low-necked
(generous
triumphant) ones that delayed Odysseus en
route back to Ithaca. Those symmetrical perfumes
(resolved
prideful) which oblige the gaze to
turn back
to inhale. That's all it could have been (it
was certainly a perfume)
a perfume like that allowed for
almost anything.

Da eficácia da luz

Os
gatos em Áno Merá a serem religiosos são
cristãos ortodoxos. São eles os primeiros ícones
a receber-nos à entrada (um deles
mais delicado vestido de cinza e branco:
de tanto lamber o pêlo quase que
apaga as listras). Estrangeiros neste mosteiro
procuramos desrazões
ardendo velas em velas (a 1€ por pavio)
mais tarde iremos julgar
a eficácia
da luz. É tão fácil a mentira
(tanta vez malbaratada)
eis a família das coisas (os gatos
as velas os
ícones) a simples nomeação devolve um
mundo mais puro. Por que razão não está Deus
nos lugares desfavoráveis?
Deus ainda acredita em Deus?
Pergunto
por perguntar.

On the Efficacy of the Light

The
cats in Áno Merá if they are religious are orthodox
Christians by default. They are the first icons
to receive us upon entering (one of them
is more delicately dressed in gray and white:
after so much coat licking she's almost erased
her stripes). Strangers in this monastery
we seek out irrationalities
lighting candle after candle (at 1€ per wick)
later we will come to judge
the efficacy
of the light. Such an easy thing a lie
(so often squandered)
behold the family of things (the cats
the candles the
icons) just the act of naming them begets a
purer world. Why is it that God is not
in unfavorable places?
Does God still believe in God?
I ask
for the sake of asking.

Um barco à vela em Míconos

O
pequeno barco à vela dança a
dansa das vagas (não se afasta da areia mais
do que uma tensa amarra). O
pequeno casco sobe e
desce
em liberdade
visto da praia é feliz (indómito
insubornável)
percorrendo sem porquê o
mesmo ponto do mapa. Repara como ele vive
a ilusão do movimento
qual os moinhos de Míconos (às voltas
dias sem fim)
cortando rodelas de vento rumo a
lugar nenhum.

A Sailboat in Mykonos

The
small sailboat dances the
sea swell's *dansa* (doesn't relinquish the sand
farther than a tense knot). The
miniscule hull rises and
descends
in freedom
seen from the beach it seems happy (insubordinate
indominable)
touring for no reason the
same spot on the map. Now notice how it lives
the illusion of movement
as do the windmills of Mykonos (in circles
days without end)
cutting thin slices of wind propelling toward
no place at all.

Confissão a Hipócrates de Cós

Lembro-me daquela vez em que tratei
um carpinteiro. Sobre a mesa de operar nada
mais que o habitual
quem nos visse a trabalhar (à
minha colega e a mim) diria
que a dança técnica seguia na perfeição
(os dedos da
mão doente tanta vez tão maltratados:
eram mais os que faltavam do que os dedos
por ceifar)
nunca mais aquela mão havia de pedir boleia
celebrar uma vitória
cursar com o dedo do meio.
Debaixo da mesa porém dava-se o
que vou contar: o
joelho dela ficou por entre
os meus joelhos e (escutem:)
tenho a certeza
(bem sei que foi um instante mas tenho
quase a certeza) algo em mim parecia vivo
(o lume daquele instante ainda hoje o sinto)
perdidos vão tantos anos ainda arde
a sua ausência como o rapaz diz que sente (e
acreditem que acredito:)
a ponta dos dedos ceifados.

Confession to Hippocrates of Kos

I remember this one time I treated
a carpenter. Nothing too extraordinary
on the operating table
anyone who saw us working (my
colleague and myself) would say
the technical dance unfolded in perfection
(the fingers on
the injured hand so many times mistreated:
more of them were missing than were
left unreaped)
never again would that stricken hand hitchhike
celebrate a victory
curse with its middle digit.
What happened however under the table is
what I will now convey:
her knee found and nestled in between
my knees and (listen:)
I am certain
(I know it was just an instant but I
am almost certain) something came alive in me
(I can feel the flame of that instant to this day)
so many years gone missing and still its
absence burns like the young man who says he feels (and
believe me I believe him:)
the tips of his tattered fingers.

Os argonautas em Óia

essa bela viagem
KONSTANTINOS KAVÁFIS

Para alguns o
fim da terra é decerto
o fim do mundo. Para outros o
fim do mundo é
o princípio da viagem. Dêem-lhes
um barco a remos nenhum saberá dizer
se fez bem o
que rasgou o Egeu desconhecido se
a dúvida ciciante de quem fica
é a viagem.

The Argonauts in Oia

the beautiful voyage
CONSTANTINE CAVAFY

For some the
end of the earth is likely
to be the end of the world. For others
the end of the world is
the first step of the journey. Hand them
a boat to row not one will be able to say
whether he who tore
through the unknown Aegean was right
or if the whispering doubt of he who remains
is the journey.

II

Entretanto num denário romano

O
rosto de César Augusto muito mais abatido
do que a efígie de Tibério (Tibério
cruzou a Hispânia anos depois de Augusto
tem menos tempo
de estradas). Afagado pela merca
no anverso de um denário: eis como
um imperador desenha os confins de um império
e é fácil gostar do Minho (do
clima do estuário)
Augusto deixou-se ficar perdido
pelas casas de pedra vai quase para
dois mil anos. No
Museo Arqueolóxico do castro de Santa Trega
os gémeos Castor e Pólux seguem de
costas voltadas para a face
do imperador. É o reverso da medalha:
presos ao poder de Roma
de nada lhes vale serem deuses. Não podem
voltar sem ele.

Meanwhile on a Roman Denarius

The
face of Caesar Augustus is much more haggard
than the effigy of Tiberius (Tiberius
crossed Hispania years after Augustus
he spent much less time
on the road). Caressed by commerce
on the obverse of a denarius: this is how
an emperor draws the confines of an empire
and it's easy to like the Minho (the
climate of its estuary)
Augustus let himself get lost among
the stone houses for almost
two thousand years. In
the Castro of Santa Trega's archaeological museum
the twins Castor and Pollux proceed
to turn their backs to
the emperor's face. It's the other side of the coin:
prisoners to Rome's power
their being gods does them no good. They can't
get back without him.

Estátuas a que faltam bocados

Na
ala de arte romana já-não-sei-de-que-museu
exibem-se torsos arcaicos aos quais
faltam bocados. O tempo foi meticuloso a
escolher o que levou (as
primeiras partes a cair variam conforme o género:
há Três Graças sem cabeças
um deus Febo sem pénis) deve haver
algum lugar onde abunde a anatomia
que por aqui segue em falta
belas cabeças em mármore
(mau grado a anemia)
falos avulsos sem torso (tristes e
sem serventia)
agradeçamos aos deuses o dom da imaginação
que permite figurar tudo quanto desfigura.
Não é um exercício difícil.
Não foi castigo divino.
Não quebraram com o uso.

Statues Missing Chunks

In the
Roman Art wing of who-knows-which-museum
ancient torsos are on exhibit some of which
are missing chunks. Time was meticulous in
choosing what to carry off (the
first parts to fall off varied according to gender:
there are Three Graces without heads
a penisless Phoebus) surely there must be
some place anatomy abounds
with what's left wanting here
marvelous marble-carved heads
(albeit anemia bleached)
sundry torsoless phalli (forlorn and
without use)
let us all thank the gods for the gift of imagination
permitting us to reconfigure through disfiguration.
That's not a difficult exercise.
This was no divine sanction.
They didn't break with use.

Sicília

Havia oliveiras
e figos. Messina fora tomada por
barcos cartagineses
como o café da manhã toma o
espaço do ar.
Havia damascos e amêndoas. Perto
em Siracusa
(usando o próprio corpo)
Arquimedes demonstrara como a água
é incompressível.
Dávamos as mãos e os pés.
Havia limões e ciprestes.
Não sei se vinhas.

Sicily

There were figs
and olive trees. Messina had been taken
by Carthaginian boats
the way morning coffee occupies
an airspace.
There were apricots and almonds. Nearby
in Syracuse
(using his own body)
Archimedes demonstrated how water
is incompressible.
We held hands and touched feet.
There were citrus trees and cypresses.
Maybe even vineyards.

Res ipsa loquitur

a Adam Zagajewski

Numa ruína
em ruínas do palácio romano de Split
alguém
deixou (em croata) um aviso
aos políticos. Não bastava Constantino
lhe ter delido o passado
vem agora o presente zombar Diocleciano
na pele da
sua própria casa. O romano nada sabe
do petróleo da Dalmácia (ainda
que se diga divino
no caso:
um filho de Júpiter). Primeiro
porque está reformado. Depois porque
só lê latim.

Res ipsa loquitur

to Adam Zagajewski

In a rundown
ruin of the Roman palace of Split
someone
left a warning (in Croatian)
to politicians. Constantine's demolishing of
his past was not enough
here comes the present to ridicule Diocletian
in the skin of
his own home. The Roman knows nothing
of Dalmatia's oil deposits (even
if he claims divinity
in his case:
the son of Jupiter). First
because he's retired. Then because he
only reads Latin.

O gato não quer movimento

Longas tardes passa o gato espojado
a meditar (de quem é o gato o espectro
cabe ao gato
revelar). A manhã inteira ocupado a
anular movimentos
(uma folhinha pelo chão
a teimosia do vento) coisas
que façam barulhos ou se movam insistentes:
no seu território
não.
Ruínas a toda a volta. Silêncio
dentro do silêncio. O
próprio tempo parado para
dar o exemplo.

The Cat Wants No Movement

The cat passes long afternoons wallowing
in meditation (whose specter this cat is
is for the cat
to reveal). A whole morning occupied
annihilating movements
(a discarded little leaf
the wind's recalcitrance) things
that trigger noises or insistently shudder:
not on her watch
no.
Ruins strewn about the room. Silence
inside the silence. Time
itself holding its breath by
way of example.

Segunda parte da vida

Chegou ao fim
a recarga da caneta que me deste
depois de um dia de chuva a
lutar contra o poema. Do lado molhado da tarde
as gotas não querem descer
ficam suspensas à espera que outras
se venham somar (é necessário
um peso de
mágoa acumulada para
que uma gota de chuva se disponha
a ser lágrima). Procuro na nova recarga a
segunda parte da vida
erguendo-a para alumiar o que possa conter
(dentro da recarga: tinta
dentro da tinta: a cor negra). Que a
recarga seguinte traga sempre a solução
não posso dizer que
é líquido.

Second Life

I've come to the end
of the fountain pen refill you gave me
after a rainy day of wrestling
a poem. The drops have no desire to slide down
the wet side of this afternoon
they remain suspended there hoping others
will go first (it takes the weight
of accumulated grief
to convince a drop of rain
to willingly become a tear). I'm searching
through this next refill
for a second life
holding it up to illuminate whatever it holds
(inside the refill: ink
inside the ink: the color black). It's never clear
whether the cartridge to come will contain a solution
I can't say
it's still fluid.

A caixa de correio de Deus

Um
rebanho de cristãos na cidade dos hebreus
apenas queriam tocar as fendas
na pedra do Muro (enviar
pelo Deus deles um recado
ao nosso Deus). Logo à entrada da praça
do templo de Salomão
um soldado israelita buscara em nossa posse
a arma de onde pudéssemos extrair a
Morte ou
o Mal. Nada mais desnecessário. Não sabia o
militar que acautelava o divino que
ou esse Deus é o mesmo ou
não há (de todo)
Deus?

God's Mailbox

A
flock of Christians in the city of the Hebrews
only wanted to touch the crevices
in the stone Wall (to send
our God a message
via their God). Just inside the entrance of the square
of Solomon's temple
an Israeli soldier rummaged through our things searching
for any weapon in which we might be hiding
Death or
Evil. Nothing more unnecessary. Didn't the
serviceman that protected the divine know that
either this God is the same or
that there is no God
(at all)?

A lenta canção de Alá

Terias de ter o dom de línguas para não te
perderes nos sons da Praça Jemaa El-Fna. Um
alquimista da Síria um curandeiro argelino
um almocreve de Tunes o
aguadeiro marroquino
todos
te pedem a alma todos te
querem com a mão numa imensa glossolalia
que o Siroco
caldeou. Ainda não viste nada querida
se ainda não viste isto: do
alto do minarete no *souk* de Marraquexe
o chamar do muezim faz questão de relembrar
que Maomé é o profeta (o
Deus único é Alá)
nessa canção que o estrangeiro não resiste
a imitar
(ignorante e feliz) num tom
«mais ou menos»
árabe.

The Slow Song of Allah

You'd have to have the gift of tongues not to
lose yourself in the sounds of Jemaa el-Fnaa Square. An
alchemist from Syria an Algerian medicine man
a muleteer from Tunis the
Moroccan water seller
all of them
request your soul all of them
beg with one hand in the immense glossolalia
the Sirocco
conjured up. Honey if you ain't seen this
you ain't seen nothin' yet: from
the top of the minaret in Marrakesh's *souk*
the call of the muezzin makes sure to stress
Muhammad is the prophet (Allah
the only God)
in this song the foreigner cannot resist
imitating
(ignorant and happy) in a tone that's
"more or less"
Arabian.

Para a construção da guerra

à Luljeta Lleshanaku

A violência está latente no mais calmo
cidadão. Mesmo nesse que
acostado
parece segurar o muro (o estrépito
com que travou a fundo na fila de trânsito
o golpe com que bateu a porta
atrás de si) que
não te iluda a bonança com que vês
o nosso homem
passeando a própria sombra por uma
manhã de sol. Nele
tudo é insuspeito mas dentro
o sangue jorra. Deixa que uma mosca pouse
na comichão do nariz e vais ver o
que é capaz de fazer
o assassino.

For the Construction of War

for Luljeta Lleshanaku

Violence lies dormant in the calmest
citizen. Even in that one
leaning back
looking like he's holding up the wall (the
brake slamming at the back of the traffic jam
the force with which he bashed the door
behind him)
don't be deceived by the tranquility you see
in our man
taking his shadow for a walk this
sunny morning. Nothing
amiss he's inconspicuous but inside
the blood floods. Let a fly land
in the itch of his nose and you'll see
what he's capable of doing
the assassin.

Problema de Física

a José Antonio Mesa Toré

Se o TGV
Málaga–Córdoba segue a 300 à hora
(as colinas derramando cascatas
de casas mudéjares) e eu
sigo para o vagão-bar a 2 km por hora
(sobre a terra andaluza oliveiras imortais) com
que pressa o
coração corre a poder contemplar os
pátios floridos das *fiestas*
(as esguias ruelas árabes) os
arcos sépia da Catedral?

a) 150 km por hora
b) 600 km por hora
c) 302 km por hora

Physics Problem

to José Antonio Mesa Toré

If the
Malaga–Cordoba TGV travels at 300 km per hour
(the hills spilling waterfalls
of Mudéjar architecture) and I
saunter to the bar car at 2 km per hour
(over the Andalusian soil immortal olive trees) at
what speed does
the heart rush to contemplate those
flowered terraces of *fiestas*
(the elegant Arabic alleyways) the
sepia arches of the cathedral?

a) 150 km per hour
b) 600 km per hour
c) 302 km per hour

Canção mediterrânica

Já
tudo vimos tudo provámos tudo escutámos
(odes à vitória por Píndaro
vinho e azeite extraordinários) nas
encostas onde Zéfiro traz às velas desde oeste
um cheiro húmido e
gelado. Eis a acrópole de Lindos (que
os deuses abandonaram) um
templo que Fídias amou e onde ao tempo
cabe ainda o trabalho de
um grande escultor. Agora é a vez de deixar
que seja o mar a tocar-nos (o
mar interior primitivo
o caldo primacial)
ontem rasgado por remos da Fenícia até
Cartago. Este é o mar de Ulisses (o
que Xerxes vergastou) um mar que
não é passado
(porque o passado é presente) onde o
tempo passa lento porque avança parado
como gatos nas ruínas (matando
tempo
com tempo) golpeando com a cauda inimigos
imaginários.

Mediterranean Song

We've already
seen it all tried it all heard it all
(Pindar's odes to Victory
extraordinary olive oil and wine) on
the slopes where Zephyrus blows in from the west
and fills raised sails with its
misty odor. Behold the acropolis of Lindos (which
the gods abandoned) a
temple Phidias treasured and a place
time remains the master and has carving
left to do. Now is the time to let it be
the sea who touches us (the
primitive internal sea
the primordial broth)
torn yesterday by rowing from Phoenicia to
Carthage. This is the sea of Ulysses (the
one which Xerxes flogged) a sea never
in the past
(for the past is present) where
time passes slowly for it passes standing still
like cats in the ruins (killing
time
with time) pummeling imaginary enemies
with their tails.

III

O lodo da História

E a
quem terá pertencido a bicicleta submersa
no fundo de um canal de Delft para
onde agora nos voltamos (eu
tu e
este cão) atentos ao lodo da História?
Com lodo o tempo resolve o
lodo da história anterior (assim
a prova do crime com que Balthasar Gerardts
matou Guilherme d'Orange a soldo
do rei de Espanha). Estratos
sobre estratos
de lodo assim cai no esquecimento
a própria miséria humana o
lodo que um dia seremos (tu
eu e o cão
não o de Guilherme d'Orange
esse morreu de desgosto depois de
perder o dono).

The Mud of History

And who
would you say owns this bicycle submerged
at the bottom of a canal in Delft
where we now turn (me
you and
this dog) mindful of the mud of History?
Time settles the mud of histories
by caking on more mud (the same way
you'd prove the crime in which Balthasar Gerardts
murdered Guilherme d'Orange on orders
from the king of Spain). Layers
upon layers of mud
so human misery flows into
that slow forgetting the
mud that one day we'll become (you
me and the dog
but not Guilherme d'Orange's
that one died of heartbreak after
losing its master).

Igrejas da Europa

a Duarte Morais Soares

Dobram os sinos católicos para celebrar a vida
onde se ergue esta igreja já foi
um templo pagão (usada
como celeiro
teatro
prisão e paiol). Os muros foram somando
lições de arquitectura (gótico
sobre românico
barroco sobre renascentista) dando vida
à língua morta com que estas paredes
rezavam. Hoje
estamos de regresso como turistas pagãos
(cruzando arcos tão estreitos
Carlos Magno não caberia)
trazendo deuses privados para casa
do Deus cristão
dando Graças (se há Deus) pela
beleza agnóstica
da pedra.

Churches of Europe

to Duarte Morais Soares

The Catholic bells are tolling to celebrate life
where this church now stands once stood
a pagan temple (used
as a cellar
theatre
armory and jail). The gates kept on accumulating
examples of architecture (Gothic
built over Romantic
Baroque over Renaissance) giving life
to the dead tongue with which these walls
used to pray. We've
returned again today like pagan tourists
(crossing through arches so narrow
Charlemagne wouldn't fit)
carrying our private gods into the house
of the Christian God
giving thanks (should there be a God) for the
agnostic beauty
of stone.

O coador de pecados

à Carmen e
ao Durval Carvalho de Barros

Durante a
homilia Deus ligou diretamente a
três ou
quatro fiéis. O que será que Deus queria? Se
Ele tem algo a dizer acerca da Salvação
que fale abertamente
vinho molhando a Palavra
nas palavras do vigário (de quem se espera
libere igual chance a toda a gente)
a menos que
Deus quisesse agravar penitências
(castigando omissões ao coador de pecados:
os mais pequenos passando fácil
para o lado do padre
os mais grosseiros teimando em se esconder
deste lado).

The Sin Sieve

to Carmen and
Durval Carvalho de Barros

During the
homily God made a few calls to
three or
four of the faithful. What on earth could God want? If
He has something to say concerning Salvation
let him speak openly
wine wetting the Word
in the words of the vicar (who one hopes
might hand out equal chance to all of us)
unless
God plans to agitate the penances
(punishing omissions at the sin sieve:
the smallest easily passing through
to the priest's side
the thicker ones insisting on hiding themselves
on this one).

Às dez e dez

Em Malta o dia
acontece sempre pela faixa do lado
(coisas que foram ficando da ocupação inglesa).
Na cidade de Mdina a
igreja usava dois relógios (um
mostrava a hora certa para chamar os fiéis
o outro a hora errada
para enganar o diabo).
O demo não deveria ater-se
em assuntos de tempo
(mesmo se a hora parada acerta
duas vezes por dia)
àquela hora a cidade escapava ao mau olhado:
quer Cristo
quer o relógio
esperavam-nos com um abraço aberto
nas dez e dez.

At Ten Past Ten

In Malta the day
always happens on the other side of the road
(it's one of the few things that remain from British rule).
In the city of Mdina the
church used two clocks (one
displayed the true time to call the faithful
the other a fake time
to fool the devil).
The fiend should not have stuck his nose
in matters of time
(even a broken clock is right
twice a day)
at that hour the city escaped the evil eye:
both Christ
and the clock
awaited us with open arms
at ten past ten.

Pentecostés en la Taberna del Obispo

Tudo torna tudo é cíclico (um
amor que parecia perdido) o
regresso à *Taberna del Obispo* onde
o próprio cura torna para beber o bulício
(e *una caña*)
entre missas. Dentro
na Catedral a
Palavra cumpriu mais um ciclo (Cristo
já subiu aos Céus vai quase para sete dias e
o arcanjo Gabriel vai agora ver Maria
para lhe anunciar que irá ser
a Mãe de
Cristo). Fora
nas *calles* de Málaga erramos pela cidade e
qual o cura tornamos à *Taberna del Obispo*
para comungar *tortillas*
revueltos e
calamares. Porque onde a fé se alimenta aí
se alimenta o Homem e
nem o Espírito Santo deprecia este lugar
assim que o cura parte sempre desce para picar
migalhas que o cura deixa
(religiosamente)
para Ele.

Pentecostés en la Taberna del Obispo

Everything returns everything is cyclical (a
love which once appeared lost) our
return to the *Taberna del Obispo* where
even the parson returns to drink in the bustle
(and *una caña*)
between masses. Inside
the Cathedral the
Word completed one more cycle (Christ
rose to the Heavens nearly seven days ago and
now the archangel Gabriel is going to see Mary
to announce to her that she will be
the Mother of
Christ). Outside
in the *calles* of Malaga we wander through the city and
like the parson we return to the *Taberna del Obispo*
to commune *tortillas*
revueltos and
calamares. For behold where faith finds sustenance there
Man himself will find sustenance and
not even the Holy Ghost belittles such a place
as soon as the parson departs He descends to nibble
crumbs that the parson leaves
(religiously)
for Him.

A possibilidade de amor

A
manhã fria aproxima os amantes
junto ao mar no extremo norte da ilha onde
sopra um vento frio e uma fria queda de água sai
em arco da
falésia à qual na ilha se deu o nome de
véu da noiva. Para cá de Porto Moniz (em
longas folhas de agave) cada língua deixou viva
a possibilidade de amor:
Hubert aime Christine
a Olga le gusta Mauri
só o solitário *Simon* e *Susan* a sonhadora
inscritos em folhas diversas (ainda que
do mesmo cacto) por má sorte
ou bom azar
não coincidiram no dia.
Todos estiveram aqui. Todos aqui assentiram
a possibilidade de amor
mesmo se
a água que sai hoje não é a água de amanhã
(sequer do próximo ano) quando
estes nomes caírem e outros
em seu lugar surgirem
ainda sem
mágoa. Que a paixão que aqui se escreveu
se torne amor até lá.

The Possibility of Love

The
cold morning draws the lovers close
near the sea on the far north side of the island where
a cold wind blows and a cold waterfall leaps
off the cliff
in an arc the islanders named
Bridal Veil. On this side of Porto Moniz (in
long agave leaves) every language has left alive
the possibility of love:
Hubert aime Christine
a Olga le gusta Mauri
only solitary *Simon* and *Susan* the dreamer
inscribed on different leaves (albeit from
the same cactus) by bad luck
or good misfortune
did not coincide on that day.
All of them were once here. All of them conceded
the possibility of love
even if
the water that falls today is not tomorrow's water
(let alone next year's) when
these names fall and others
rise up in their place
still without
bitterness. May the passion here professed
turn into love by then.

Cabinet de curiosités

Louro orégãos tomilho
coentros alecrim e salva

nem
Rembrandt em Amesterdão (num
quarto de maravilhas) almejou coleccionar
tal paleta de viagens (os verdes mediterrânicos
o ocre o sépia da Ásia) ninguém mais
depois de ti saberá a ordem certa de
tanta farmacopeia

cravo gengibre açafrão
pimenta canela noz moscada

não decerto a
ordem vã de um qualquer alfabeto (sequer a
geografia de
um *mapa-mundi* de olfatos)
antes o avançar
de aromas a bombordo do nariz
(a alquimia singular da arte da culinária)
descoberta em descoberta por entre
vapores de bruma
nas águas tumultuosas (e prosaicas)
de um tacho.

Cabinet de Curiosités

Laurel oregano thyme
coriander rosemary and sage

not even
Rembrandt in Amsterdam (in a
chamber of wonders) craved the accumulation
of such a travel palette (the Mediterranean greens
the ocher the Asian sepia) after you
no one else will know the exact order of
so much pharmacopeia

clove ginger saffron
pepper cinnamon nutmeg

certainly not just
the vain order of some old alphabet (not even
the geography of
an olfactory *mapa-mundi*)
but rather the aroma's advance
on the port side of the nose
(the singular alchemy of the culinary art)
one discovery after another from among
the misty vapors
in the tumultuous (and prosaic) waters
of a pan.

A espada de Selim III

Inscrita na face da lâmina em bela caligrafia
uma última oração atravessa
o inimigo. Entre ambos
(espada e torso) apenas
este pereceu
a espada ainda vive no Palácio Topkapi
privada do movimento com que
conheceu a glória
(o gesto firme e antigo com que
deu expressão à ira)
cumprindo tempo pelo sangue torso
a torso
derramado condenada à vida eterna (na
prisão de uma vitrina) invejando cada corpo
que nesse instante preciso
ama e dança sem fim (qual dervixe)
no paraíso.

The Sword of Selim III

Inscribed on the face of the blade in beautiful calligraphy
a final prayer passes through
the enemy. Between the two
(sword and torso) only
the latter perished
the sword is still alive today at the Topkapi Palace
deprived of the movement with which
it gained such glory
(the deft and ancient gesture with which
it gave expression to wrath)
doing hard time for the blood spilled torso
by torso
condemned to eternal life (inside
the glass prison of a vitrine) envying every body
that in this exact instant
loves and dances endlessly (what a dervish)
in paradise.

Êxtase de Santa Teresa

Eu peço
imensa desculpa cardeal Federico Cornaro mas
cuido que Gian Lorenzo Bernini
o enganou. Se não o Mestre que explique
(como lhe aprouver melhor) a
face de gozo da Santa (o
corpo lançado para trás o
hallux semiflectido os olhos semicerrados) já nem
falo
desse anjo trespassando a seta em fogo
com o riso atrevido de um cupido consolado
se é isto o amor divino eu quero ser querubim
a menos que (Excelência:) Vossa
Excelência confesse que ordenou a obra assim
(o pecado mascarado pelos excessos do barroco
algo difícil de ver numa igreja calvinista)
nesse caso (Excelência:) não
sei qual julgar maior se o
lento gozo da Santa (largada a tal entrega) se
a nossa inveja pelo tempo que ela já leva daquilo
os lábios entreabertos de metafísico amor
preenchendo (Excelência:) o
espaço interior do vazio
prolongando (Excelência:) o grito
da
doce
dor.

The Ecstasy of St. Teresa

I beg
your humble pardon cardinal Federico Cornaro but
I believe Gian Lorenzo Bernini
pulled your leg. If not the Master ought to explain
(as it please Him) the
Saint's expression of pleasure (her
body thrown backwards the
Hallux partially reflected her eyes half closed)
to say
nothing of the angel thrusting the incendiary arrow
with that cheeky smile of a contented cupid
if this is divine love I want to be a cherubim
unless of course (Excellence:) Your
Excellence confesses that you commissioned the work this way
(all this sin disguised in the old Baroque excesses
is something quite uncommon to see in a Calvinist church)
in such a case (Excellence:) I don't
know which to judge greater the
measured ecstasy of the saint (released to such surrender) or
our envy of how long she's been full of it
the lips faintly parted by metaphysical love
filling (Excellence:) the
inner space of an emptiness
prolonging (Excellence:) the pain
screaming
so
sweet.

Balada dos maus pensamentos

As
perucas das senhoras em quimioterapia
uma vez por semana fogem para o
cabeleireiro. As donas
calvas
das perucas têm que ser pacientes
sair de lenço à cabeça
(ocultando a alopecia)
passeando o infortúnio até a noite baixar.
Há que dar tempo às perucas. Mais
que nunca
estão exaustas da doença prolongada
e não prescindem do ensejo de
lavar e pentear até
se sentirem refeitas. Há que apoiar as perucas
nesta fase complicada. Não é fácil
escutar as donas um dia inteiro a ter
tão maus pensamentos.

Ballad of the Terrible Thoughts

The
wigs of the women in chemotherapy
once per week flee on their own to the
hairdresser. The bald
owners
of the wigs are forced to be patient
go out with scarfs on their heads
(hiding the alopecia)
wandering in their misfortune until nightfall.
You have to give wigs time. More
than ever
they're exhausted from the prolonged illness
and go without the chance to be
washed and brushed until
they feel refreshed. You have to support wigs
in this complicated phase. It is not easy to
listen to the ladies all day long having
such terrible thoughts.

A lição de anatomia do Professor Karl Breuing

Envolta em panos cirúrgicos (um
cheiro intenso a formol) esta mulher desconhece
o que lhe fazem ao corpo.
«Mrs. Riley are you there? May I
call you Mrs. Riley?»
Um cadáver não responde. Nem este
nem nenhum dos outros que
doados à ciência vão permitir avançar de
onde esta vida parou. *«Are you still there Mrs. Riley?*
May we call you Mrs. Riley?»
Mrs. Riley já não está. Para trás
deixou o corpo à guilda de cirurgiões (não
para dissecar um membro como usava
Dr. Tulp) antes
recriar o seio que a doença levou. No
teatro anatómico da Universidade de Bristol
a memória dos mortos está na atenção
dos vivos. *«Are you still there Mrs. Riley?*
Shall I call you Mrs. Riley?»
Num instante Mrs. Riley estará
de novo completa
nas mãos do Professor Breuing será como
repetir Deus.

The Anatomy Lesson of
Professor Karl Breuing

Enveloped in surgical sheets (an
intense smell of formalin) this woman does not know
what they do to her body.
Mrs. Riley are you there? May I
call you Mrs. Riley?
A cadaver holds its peace. Neither this one
nor any of the others
donated to science will be permitted any progress beyond
where this life stopped. *Are you still there Mrs. Riley?*
May we call you Mrs. Riley?
Mrs. Riley is not home. She left
her body behind for the Surgeons Guild (not
for limb dissection as Dr. Tulp
used to) rather to
rebuild the breast that illness took away. In
the anatomical theater at the University of Bristol
the memory of the dead is tended to
by the living. *Are you still there Mrs. Riley?*
Shall I call you Mrs. Riley?
In an instant Mrs. Riley will be
once again complete
in the hands of Professor Breuing it will be like
replicating God.

IV

História de uma tarde

a Sousa Dias

*To extract meaning is our
primary task.*
ZBIGNIEW HERBERT

Há
uma réstia de tarde ainda por resolver.
Não durará muito é certo (espera-a
o esquecimento) somente o necessário até
a noite baixar. Ainda falta esta luz
antes de fechar a praia
(um átimo para esquecer
recordar
voltar atrás). Já não sobra muito eu sei
(só instantes sem momentos) esse pouco
que divisa memória de
ilusão. Procuro o inefável na espessura
da tarde
se eu não guardar num poema esta hora atravessada
nem ela nem esta tarde alguma
vez existirão.

Story of an Afternoon

to Sousa Dias

*To extract meaning is our
primary task.*
ZBIGNIEW HERBERT

There is
a glimmer of afternoon yet to be resolved.
It is certain not to last (oblivion
awaits it) only what is needed until
nightfall. This light lags a bit
before they close the beach
(a millisecond to forget
remember
go back again). Not much of what I know remains
(only momentless instances) that speck
separating memory from
illusion. I seek the ineffable in the afternoon's
density
if I don't preserve this intersected hour in a poem
neither it nor this afternoon will exist in
any form at all.

Judeus errantes

A
caminho de Treblinka (feitos escravos
pelos egípcios)
rasgando o mar Vermelho com a vara
de Moisés. No comboio de Dachau
(desde a Terra Prometida)
levados para a Babilónia de Nabucodonosor.
No vagão para Bergen-Belsen segue
a diáspora judia (expulsa de Jerusalém
pela mão do imperador Tito).
Na viagem para Auschwitz a
lenha
alimenta o vapor. Por fim respiramos fundo.
Que mais pode acontecer?

Wandering Jews

On
the road to Treblinka (made slaves
by the Egyptians)
rupturing the Red Sea with the staff
of Moses. On the train to Dachau
(from the Promised Land)
taken to Babylon by Nebuchadnezzar.
On the wagon to Bergen-Belsen the Jewish
Diaspora travels (expelled from Jerusalem
by the order of emperor Titus).
On the voyage to Auschwitz
firewood
feeds the steam. We breathe deeply at last.
What more could happen?

As ruas estão acesas

à Alexandra e ao Ricardo
na chegada do Gui

We all have credit,
Said the bankers.
A matter of faith.
HANS MAGNUS ENZENSBERGER

Na
esquina do Deutsche Bank (ao lado de
Jean Valjean) um casal de namorados reúne-se
num abraço. Por instantes acreditam na
arte do recomeço
num país onde o ministro desista de inaugurar
ruínas dos
nossos sonhos. Longe
nos rios da Europa corre uma linfa comum
(como a fenda da parede hesitando ao
avançar
corrigindo erro-a-erro o seu
próprio percurso). Enquanto os jovens se abraçam
a usura passa-lhes ao lado
suspendem-se os dias tristes neste país periférico
sem esperança nem remorsos onde
a Europa passa férias. À porta do Deutsche Bank
só tem crédito a ilusão
logo tudo acabará num depósito
de amor.

The Streets Are Effulgent

to Alexandra and Ricardo
on the arrival of Gui

We all have credit,
Said the bankers.
A matter of faith.

HANS MAGNUS ENZENSBERGER

On
the Deutsche Bank corner (side by side with
Jean Valjean) a couple of lovers reunite in
an embrace. For a minute they believe in
the art of a fresh start
in a country where the ministry ceases to inaugurate
the ruins of
our dreams. Far away
a common lymph runs in Europe's rivers
(like a crack in a wall hesitant to
advance
correcting error by error its
own meanderings). While the youths are hugging
usury passes by on the other side
sad days are suspended in this peripheral country
devoid of hope and regret
where Europe vacations. At Deutsche Bank's door
only illusion gets credit
soon everything will end in a deposit
of love.

O sr. Lopes e o poder

Ao
Lopes não foi difícil aceder ao poder
(porque o Lopes é pequeno e
para se subir mais alto basta ser
muito pequeno). Quem
por natureza é grande jamais
será o primeiro (já o Lopes:
vence sempre
mesmo quando é interesseiro). Se hoje
o Lopes está lá em cima é por
não servir para mais nada
é sendo incompetente que se ascende ao poder
(excepto quem cumpre
de pé sobre
quem sobe deitado).

Mr. Lopes and the Power

For
Lopes the rise to power was not hard
(because Lopes is diminutive and
to really reach the top one needs only
to be small). He who
by nature is too large will never
come in first place (Lopes however:
always wins
even when he comes up short). If today
Lopes is at the top it's because
that's all he's good for
one ascends to power by being incompetent
(except those who manage
a leg-up on
anyone rising on their back).

Subsídio para um bestiário
de A.M. Pires Cabral

Em que língua corre um rio quando
atravessa a fronteira? Uma
lampreia hesita entre as margens do Minho
(incerta
insidiosa) que nome lhe hei-de dar? Na
margem direita em A Garda
dá pelo nome galego (do
lado esquerdo em Caminha toma
o nome português) a
lamprea bilingue é como certos políticos
(virando à esquerda ou à direita
conforme
segue a corrente). A lampreia-política fá-la
sempre pela calada
foge quanto pode a ver o seu ardiloso nome
na ribalta de
um menu.

Contribution to an
A.M. Pires Cabral Bestiary

In what language does a river run
once it crosses a border? A
lamprey hesitates between the banks of the Minho
(indecisive
insidious) what name should I give it? On
the right bank in A Garda
it answers by the Galician name (on
the left side in Caminha it takes
the Portuguese one) the
bilingual *lamprea* is like certain politicians
(vascillating left or right
depending
on the current). The politic-lamprey always does it
on the down low
it flees as far as it can upon seeing its cunning name
on the front page of
a menu.

Antico Caffè Greco

—*Muito vimos,*
muito conhecemos
CZESŁAW MIŁOSZ

É o
décimo-primeiro café que esta chávena
toma hoje
(demasiada cafeína para provar
num só dia). De
entre as chávenas da sala é
a que mais conversou (a
que mais sabe dos dias
a que mais me ensinaria).
Tomara lhe calhe agora um sápido
chá de limão
logo mais (tenho a certeza) não
vai conseguir adormecer.

Antico Caffè Greco

—We saw much,
we learned much
CZESŁAW MIŁOSZ

This is
the eleventh coffee this teacup has
taken today
(way too much caffeine to drink
in a single day). Among
the teacups in the room this is
the one that's conversed longest (the one
that best understands daily life
which would teach me the most).
I hope it gets a turn with a sapid
lemon tea
before long (I am certain) it won't
manage to sleep a wink.

«Pode ser Pepsi?»

ao Bernardo Pinto de Almeida

Gosto de ver
hieróglifos nas pegadas das gaivotas.
Não gosto que os feriados calhem ao
fim-de-semana. Gosto dos frescos de Pompeia
em dias de mais calor. Não gosto
nada que os gregos misturem água no vinho.
Prefiro os heróis sem nome ao
nome dos grandes heróis. Distingo a dor
dos que perdem da total perda de dor. Gosto
de sentir a música de volta à minha vida.
Não gosto do Mediterrâneo
transformado em cemitério.
Prefiro o fundo da alma a fundos de
investimento. Distingo liquidez dos bancos
da liquidez de teus olhos. Gosto de
uma salada César numa *piazza* de Roma.
Não gosto de pedir Coca-Cola e ouvir:
«Pode ser Pepsi?»

"OK If It's Pepsi?"

to Bernardo Pinto de Almeida

I like finding
hieroglyphs in the footprints of seagulls.
I don't like when holidays land on
a weekend. I like the frescoes of Pompei
on really hot days. I don't like it
at all when Greeks add water to wine.
I prefer nameless heroes to
the names of great heroes. I distinguish the pain
of losers from the total loss of pain. I like
feeling the music return to my life.
I don't like the Mediterranean
transformed into a cemetery.
I prefer a return to the soul to a return
on investment. I distinguish the liquidity of banks
from the liquidity of your eyes. I like
a Caesar salad in a *piazza* in Rome.
I don't like ordering a Coke and hearing:
"OK if it's Pepsi?"

Em segunda mão

Uma
casa de artigos à venda em segunda mão é
o lugar ideal para conheceres alguém. Puído
cerzido
mais sábio (a utopia perdida quanto à
duração do amor). Uma loja de usados é
o local ideal para revenderes tristeza
(livrares-te da ilusão de que a inocência persiste)
deixares cair o apelido que trazias
algemado. Aí
entre coisas raras (sem uso
à espera de vez) está alguém a quem o tempo
ensinou a temperança
(alguém a quem o pesar ministrou paciência)
que recebeu em esperteza o que entregou em
esperança. Numa casa de artigos à venda
em segunda mão
quem sabe tens para dizer o que
alguém quer escutar.

Secondhand

A
secondhand store is the perfect place to
meet somebody. Threadbare
mended
wiser (having abandoned the utopia
of eternal love). A consignment shop is
the perfect spot to resell sadness
(free yourself from the illusion that innocence persists)
to let fall the surname you dragged around
in shackles. There
among rare things (unused
waiting their turn) is someone to whom time
has taught temperance
(someone to whom sorrow has taught serenity)
who received in expertise what they handed over in
expectation. In a shop of articles for sale
secondhand
who knows maybe what you have to say is what
someone wants to hear.

Linhas sobre a duração

É
preciso estar à espera para o poder perceber
(esse instante provisório não se faz anunciar)
de súbito estás dentro dele
num prolongado
presente. Nada falta em teu redor (calor
o lugar uma
amiga) coisas que foste juntando já
para o caso
de. Quando o momento chegar não deixes
que se dissipe (não
está em ti o poder de
o fazeres regressar). É uma oferta da tarde
à revelia do dia chamam-lhe epifania mas
é muito mais do que isso.
É preciso estar à espera para o poder intuir
esse instante indivisível (insondável
fotográfico) que
dissolve carne e tempo numa
alegria química.

Lines on Duration

You need
to be waiting in order to perceive it
(that provisional instant doesn't announce itself)
suddenly you are inside it
in some prolonged
present. Nothing missing from your surroundings (warmth
this place a
friend) things you had already gathered
just in case.
When that moment arrives don't let it
slip away (the power
to bring it back
is not in you). It's the afternoon's secret gift
offered behind the day's back they call it epiphany but
it's so much more than that.
It's necessary to lie in wait so you can intuit it
this indivisible instant (unfathomable
photographic) which
dissolves flesh and time in a
chemical happiness.

Aquilo que é infinito

in memoriam
Paulo Cunha e Silva

Começa *agora* outro dia e é mais
outro dia sem ti. Errámos pela cidade
cuidando reconhecer-te
(nenhum dos nomes que passam acontece
ser o teu). Onde está a
alegria onde assentávamos casa
(a procura por janela a
ternura por telhado) onde o
teu pensamento mais veloz que o próprio dia?
Onde estás que não te temos? Onde
a tua energia? Os
barcos que bailam no rio o dia inteiro
sem descanso (as ondas que não desistem de
se repetir na foz) os
espelhos deste Café que nem à noite se desligam
(o arco-íris do amor nos semáforos da avenida)
talvez tu tenhas ficado semeado pelas ruas
naquilo que nunca pára (num
frenesim de partículas)
quem sabe agora existas em tudo
o que não descansa (nisso que
não se desliga:) o tempo
que é infinito.

That Which Is Infinite

in memoriam
Paulo Cunha e Silva

Another day begins *now* and it's one more
day without you. We wandered around the city
fantasizing that we see you
(none of the names that passed happened
to be yours). Where is the
happiness we built our house on
(our searching a window
tenderness our roof) where is
your thought faster than the speed of light?
Where are you now that you're no longer with us? Where
is your energy? The
boats that dance in the river all day long
without a break (the waves that never give up
replicating on the delta) the
mirrors in this Café that don't shut off even at night
(the rainbow of love in the avenue's stoplights)
maybe you've been sown into the streets
amid whatever never stops (in a
frenzy of particles)
who knows maybe you exist in everything
that never rests (inside whatever
doesn't shut off:) time
which is infinite.

Deuses menores

A
manhã ainda dorme quando vou
nos meus sapatos pelas ruas da Provença onde
tudo me
é estrangeiro. Vou e procuro o poema:
o mercado está de flores (maior
pecado não há do que colher a beleza
o gozo de a possuir é razão
para a minha dor). A verdade
(é sabido) sempre
foi subjectiva e eu queria mais da vida
(mais do que este espesso nada)
exactamente o quê não sei explicar
não sei. Deves
recusar a mágoa quando finda a inocência
e eu nada mais tenho a dizer:
a história
(como é sabido) escrevem-na
os vencedores.

Minor Gods

The
morning is still asleep when I go
in my shoes about the streets of Provence where
everything seems
foreign to me. I go and look for the poem:
the market is full of flowers (there is
no sin greater than picking beauty
the pleasure in possessing it is the reason
for my pain). The truth
(as is known) has
always been subjective and I wanted more from life
(more than this thick nothing)
exactly what I can't explain
I don't know. You must
refuse bitterness at the end of innocence
and I have nothing more to say:
history
(as it is known) is written
by the victors.

Os sábios da Antiguidade ensinavam que os confins do Mediterrâneo se situam onde a oliveira se detêm.

PREDRAG MATVEJEVITCH

The old wise men used to say that the Mediterranean sea stretched as far as the olive tree reaches.

PREDRAG MATVEJEVITCH

Poemas escritos entre 2012 e 2015,
em Leça da Palmeira, Venade, Torre da Medronheira
e em algumas cidades europeias.

Poems written between 2012 and 2015,
in Leça da Palmeira, Venade, Torre da Medronheira,
and a few European cities.

About the Author and Translator

João Luís Barreto Guimarães was born in Porto, Portugal (3 June 1967), where he earned a degree in medicine. He is a poet and a translator as well as a reconstructive surgeon. He teaches Poetry to ICBAS Medical Students at the University of Porto.

As a writer, he is the author of eleven poetry books published since 1989. The first seven books were assembled in *Collected Poetry* (*Poesia Reunida*, Lisbon, Quetzal, 2011) and the subsequent *You Are Here* (*Você está Aqui*, Lisbon, Quetzal, 2013), published also in Italy. *Mediterranean* (*Mediterrâneo*, Lisbon, Quetzal, 2016), chosen for the António Ramos Rosa National Poetry Award in 2017, has previously been published in Spain, France, Poland, Egypt, Greece, Serbia, and Italy, where it was a finalist for the Camaiore International Prize in 2018. *Nomad* (*Nómada*, Lisbon, Quetzal, 2018) was chosen as the Bertrand Poetry Book of the Year in 2018, received the Armando da Silva Carvalho Literary Prize, and was published in Spain and Italy, where it was also a finalist for the Camaiore International Prize in 2019. The anthology *Time Advances by Syllables* (*O Tempo Avança por Sílabas*, Lisbon, Quetzal, 2019) was published also in Croatia, Macedonia, and Brazil; and *Movement* (*Movimento*, Lisbon, Quetzal, 2020) received the Grand Prize of Literature DST 2022, and was also published in Macedonia.

In addition to his books, Guimarães' poems have been published in anthologies and literary magazines in Portugal, Spain, France, Belgium, Holland, Germany, Austria, Italy, the United Kingdom, Croatia, Slovenia, Montenegro, Bulgaria, Macedonia, Brazil, Mexico, Dominican Republic, Uruguay, Canada, the United States, and elsewhere. He has read at literary festivals in Spain, México, Croatia, Germany and the USA. English translations have appeared in *World Literature Today*, *Poetry London*, *Asymptote*, *The Banyan Review*, *Salamander*, *Anima*, *Tupelo Quarterly*, *The London Magazine*, *The Columbia Review*, *The Chattahoochee Review*, *The Cortland Review*, *Bellevue Literary Review*, *International Poetry Review*, *The Common*, *Ezra Translation*, *Anomaly*, *LIT Magazine*, and *World Without Borders*, among others.

In 2022 he was awarded the prestigious Pessoa Prize.

Calvin Olsen is an American poet and translator based in Edinburgh, Scotland. He holds an MFA in Creative Writing from Boston University, where he studied under Robert Pinsky, David Ferry, and Nobel laureate Louise Glück, and an MA in English & Comparative Literature from The University of North Carolina at Chapel Hill; and he is currently a doctoral candidate in Communication, Rhetoric, & Digital Media at NC State University. Calvin's poetry and translations have appeared in *The Adroit Journal*, *AGNI*, *Asymptote*, *The London Magazine*, *The National Poetry Review*, and *World Literature Today*, among many others, and he is the recipient of a Robert Pinsky Global Fellowship and a 2021 Travel Fellowship from The American Literary Translators Association. More of his work can be found at calvin-olsen.com.

CPSIA information can be obtained
at www.ICGtesting.com
Printed in the USA
BVHW040508290623
666504BV00003B/24